习近平在出席金砖国家领导人厦门会晤时的讲话

人民出版社

目　录

共同开创金砖合作第二个“金色十年”

——在金砖国家工商论坛开幕式上的讲话

（2017 年 9 月 3 日）

习　近　平

尊敬的特梅尔总统、尊敬的祖马总统，

各位工商界代表，

女士们，先生们，朋友们：

下午好！很高兴同大家相聚在风景怡人的“鹭岛”厦门。明天，金砖国家领导人会晤就要拉开帷幕。我谨代表中国政府和中国人民、代表厦门市民，并以我个人的名义，向参加会议的各位嘉宾表示热烈的欢迎！

厦门自古就是通商裕国的口岸，也是开放合作的门户，正所谓“厦庇五洲客，门纳万顷涛”。1985

年我来到福建工作，厦门是第一站。当时的厦门身处中国改革开放前沿，是先行先试的经济特区，也是一片发展的热土。30多载春风化雨，今天的厦门已经发展成一座高素质的创新创业之城，新经济新产业快速发展，贸易投资并驾齐驱，海运、陆运、空运通达五洲。今天的厦门也是一座高颜值的生态花园之城，人与自然和谐共生。

闽南民众常说，“爱拼才会赢”。这其中蕴含着一种锐意进取的精神。厦门这座城市的成功实践，折射着13亿多中国人民自强不息的奋斗史。改革开放近40年来，在中国共产党领导下，中国人民凭着一股逢山开路、遇水架桥的闯劲，凭着一股滴水穿石的韧劲，成功走出一条中国特色社会主义道路。我们遇到过困难，我们遇到过挑战，但我们不懈奋斗、与时俱进，用勤劳、勇敢、智慧书写着当代中国发展进步的故事。

女士们、先生们、朋友们！

金砖合作正处在承前启后的关键节点上。观察金砖合作发展，有两个维度十分重要。一是要把金砖合作放在世界发展和国际格局演变的历史进程中来看。二是要把金砖合作放在五国各自和共同发展的历史进程中来看。

现在，我们正处在一个大发展大变革大调整的时代。虽然全球范围内冲突和贫困尚未根除，但和平与发展的时代潮流愈发强劲。世界多极化、经济全球化、文化多样化、社会信息化深入发展，弱肉强食的丛林法则、你输我赢的零和游戏不再符合时代逻辑，和平、发展、合作、共赢成为各国人民共同呼声。

在这样的大背景下，一大批新兴市场国家和发展中国家异军突起，在国际事务中发挥着日益重要的作用。金砖合作也应运而生，我们五国怀着追求和平与发展的共同愿望走到一起。在过去10年中，金砖国家携手同行，成长为世界经济的新亮点。

——10年中，金砖国家探索进取，谋求共同发展。2008年爆发的国际金融危机突如其来，直接导致世界经济急刹车，至今未能重回正轨。面对外部环境突然变化，我们五国立足国内，集中精力发展经济、改善民生。10年间，五国经济总量增长179%，贸易总额增长94%，城镇化人口增长28%，为世界经济企稳复苏作出突出贡献，也让30多亿人民有了实实在在的获得感。

——10年中,金砖国家务实为先,推进互利合作。我们五国发挥互补优势,拉紧利益纽带,建立起领导人引领的全方位、多层次合作架构,涌现出一批契合五国发展战略、符合五国人民利益的合作项目。特别是新开发银行和应急储备安排的建立,为金砖国家基础设施建设和可持续发展提供了融资支持,为完善全球经济治理、构建国际金融安全网作出了有益探索。

——10年中,金砖国家敢于担当,力求在国际舞台上有所作为。我们五国秉持多边主义,倡导公平正义,就国际和地区重大问题发出声音、提出方案。我们五国积极推动全球经济治理改革,提升新兴市场国家和发展中国家代表性和发言权。我们五国高举发展旗帜,带头落实千年发展目标和可持续发展目标,加强同广大发展中国家对话合作,谋求联合自强。

万丈高楼平地起。如今,金砖合作基础已经打下,整体架构轮廓初现。回望来时路,我认为有3条启示十分重要,应该在今后的合作中发扬光大。

一是平等相待、求同存异。金砖国家不搞一言堂,凡事大家商量着来。我们五国尊重彼此发展道路和模式，相互照顾关切，致力于增进战略沟通和政治互信。我们五国在国情、历史、文化等方面存在差异，合作中难免遇到一些分歧，但只要坚定合作信念、坚持增信释疑，就能在合作道路上越走越稳。

二是务实创新、合作共赢。金砖国家不是碌碌无为的清谈馆，而是知行合一的行动队。我们五国以贸易投资大市场、货币金融大流通、基础设施大联通、人文大交流为目标，推进各领域务实合作，目前已经涵盖经贸、财金、科教、文卫等数十个领域，对合作共赢的新型国际关系作出生动诠释。

三是胸怀天下、立己达人。金砖国家都是在发展道路上一步一步走过来的，对那些身处战乱和贫困的百姓，我们感同身受。我们五国从发起之初便以“对话而不对抗，结伴而不结盟”为准则，倡导遵循联合国宪章宗旨和原则以及国际法和国际关系基本准则处理国家间关系，愿在实现自身发展的同时同其他国家共享发展机遇。如今，金砖合作理念得到越来越多理解和认同，成为国际社会的一股正能量。

这些都是金砖精神的具体体现，是我们五国历经 10 年合作凝聚的共同价值追求。这种精神在实践中不断升华，为五国人民带来福祉，也让世界因金砖合作而有所不同。

女士们、先生们、朋友们！

回首过去，是为了找准前进方向。放眼世界，我们看到世界经济重新恢复增长，新兴市场国家和发展中国家表现突出。新一轮科技革命和产业变革蓄势待发，改革创新潮流奔腾向前。我们有足够的理由相信，这个世界会更好。

同时，我们也看到，全球7亿多人口还在忍饥挨饿，数以千万的难民颠沛流离，无数民众包括无辜的孩子丧身炮火。世界经济尚未走出亚健康和弱增长的调整期，新动能仍在孕育。经济全球化遭遇更多不确定性，新兴市场国家和发展中国家发展的外部环境更趋复杂。世界和平与发展之路还很长，前行不会一路坦途。

现在，有人看到金砖国家等新兴市场国家和发展中国家的增长出现起伏，就断言“金砖失色、褪色”。毋庸讳言，受内外复杂环境影响，金砖国家发展难免遭遇不同程度的逆风。但是，金砖国家不断向前发展的潜力和趋势没有改变。我们对此充满信心。

千年潮未落，风起再扬帆。面向未来，金砖国家面临着发展经济、加强合作的重要任务。我们要总结成功经验，勾画合作愿景，踏上新的征程，共同开创金砖合作第二个"金色十年"。

第一，深化金砖合作，助推五国经济增加动力。近年来，金砖国家凭借大宗商品供给、人力资源成本、国际市场需求等优势，引领世界经济增长。随着五国经济不断发展，资源要素配置、产业结构等问题日渐突出。同时，世界经济结构经历深刻调整，国际市场需求萎缩，金融风险积聚。金砖国家经济传统优势在发生变化，进入到滚石上山、爬坡过坎的关键阶段。

如何跨越这一阶段？答案是不能片面追求增长速度，而是要立足自身、放眼长远，推进结构性改革，探寻新的增长动力和发展路径。要把握新工业革命的机遇，以创新促增长、促转型，积极投身智能制造、互联网+、数字经济、共享经济等带来的创新发展浪潮，努力领风气之先，加快新旧动能转换。要通过改革打破制约经济发展的藩篱，扫清不合理的体制机制障碍，激发市场和社会活力，实现更高质量、更具韧性、更可持续的增长。

金砖国家虽然国情不同，但处于相近发展阶段，具有相同发展目标。我们应该共同探索经济创新增长之道，加强宏观政策协调和发展战略对接，发挥产业结构和资源禀赋互补优势，培育利益共享的价值链和大市场，形成联动发展格局。我们要用改革创新的实践经验，为其他新兴市场国家和发展中国家抢抓机遇、应对挑战闯出一条新路。

经济合作是金砖机制的根基。我们应该紧紧围绕这条主线，落实《金砖国家经济伙伴战略》，推动各领域合作机制化、实心化，不断提升金砖合作含金量。今年，我们在新开发银行和应急储备安排建设、电子商务、贸易和投资便利化、服务贸易、本币债券、科技创新、工业合作、政府和社会资本合作等领域取得了一系列成果，拓展了经济合作广度和深度。我们要继续努力，落实以往的成果和共识，让现有机制发挥作用，同时积极探索务实合作新方式新内涵，拉紧联系纽带，让金砖合作行稳致远。

第二，勇担金砖责任，维护世界和平安宁。和平与发展互为基础和前提。要和平不要冲突、要合作不要对抗是世界各国人民共同愿望。在各国一道努力下，世界总体和平得以保持半个多世纪。但是，世界仍不太平，地区冲突和热点问题一波未平、一波又起。恐怖主义、网络安全等威胁相互交织，为世界蒙上一层阴影。

金砖国家是世界和平的维护者、国际安全秩序的建设者。今年，我们举行安全事务高级代表会议和外长正式会晤，建立常驻多边机构代表定期磋商机制，召开外交政策磋商、反恐工作组、网络安全工作组、维和事务磋商等会议，就是要加强在国际和地区重大问题上的沟通和协调，汇聚金砖合力。我们要维护联合国宪章宗旨和原则以及国际关系基本准则，坚定维护多边主义，推动国际关系民主化，反对霸权主义和强权政治。要倡导共同、综合、合作、可持续的安全观，建设性参与地缘政治热点问题解决进程，发挥应有作用。

我相信，只要坚持综合施策、标本兼治，坚决打击一切形式的恐怖主义，恐怖分子终将无处容身。只要坚持对话协商谈判，为叙利亚、利比亚、巴以等问题的政治解决创造条件，战火终将平息，流离失所的难民定能重返家园。

第三，发挥金砖作用，完善全球经济治理。唯有开放才能进步，唯有包容才能让进步持久。由于近年来世界经济处于疲弱期，发展失衡、治理困境、公平赤字等问题显得更加突出，保护主义和内顾倾向有所上升。世界经济和全球经济治理体系进入调整期，面临新的挑战。

对经济全球化进程中出现的问题，我们不能视而不见，也不能怨天尤人，而是要齐心协力拿出解决方案。我们要同国际社会一道，加强对话、协调、合作，为维护和促进世界经济稳定和增长作出积极贡献。为此，我们应该推动建设开放型世界经济，促进贸易和投资自由化便利化，合力打造新的全球价值链，实现经济全球化再平衡，使之惠及各国人民。我们五国要相互提高开放水平，在开放中做大共同利益，在包容中谋求机遇共享，为五国经济发展开辟更加广阔的空间。

新兴市场国家和发展中国家的发展，不是要动谁的奶酪，而是要努力把世界经济的蛋糕做大。我们要合力引导好经济全球化走向，提供更多先进理念和公共产品，推动建立更加均衡普惠的治理模式和规则，促进国际分工体系和全球价值链优化重塑。要推动全球经济治理体系变革，反映世界经济格局现实，并且完善深海、极地、外空、网络等新疆域的治理规则，确保各国权利共享、责任共担。

第四，拓展金砖影响，构建广泛伙伴关系。作为具有全球影响力的合作平台，金砖合作的意义已超出五国范畴，承载着新兴市场国家和发展中国家乃至整个国际社会的期望。金砖国家奉行开放包容的合作理念，高度重视同其他新兴市场国家和发展中国家合作，建立起行之有效的对话机制。

一箭易断，十箭难折。我们应该发挥自身优势和影响力，促进南南合作和南北对话，汇聚各国集体力量，联手应对风险挑战。我们应该扩大金砖合作的辐射和受益范围，推动“金砖+”合作模式，打造开放多元的发展伙伴网络，让更多新兴市场国家和发展中国家参与到团结合作、互利共赢的事业中来。

厦门会晤期间，中方将举行新兴市场国家与发展中国家对话会，邀请来自全球不同地区国家的5位领导人共商国际发展合作和南南合作大计，推动落实2030年可持续发展议程。

无论是深化金砖自身合作，还是构建广泛的伙伴关系，人民相互了解、理解、友谊都是不可或缺的基石。我们应该发挥人文交流纽带作用，把各界人士汇聚到金砖合作事业中来，打造更多像文化节、电影节、运动会这样接地气、惠民生的活动，让金砖故事传遍大街小巷，让我们五国人民的交往和情谊汇成滔滔江河，为金砖合作注入绵绵不绝的动力。

女士们、先生们、朋友们！

金砖合作机制不断走深走实的10年，也是中国全面推进改革开放、经济社会实现快速发展的10年。10年中，中国经济总量增长239%，货物进出口总额增长73%，成为世界第二大经济体，13亿多中国人民的生活水平实现大幅飞跃，中国为世界和地区经济发展作出的贡献也越来越大。

不可否认的是，随着中国改革进入攻坚期和深水区，一些深层次的矛盾和问题凸显出来，需要下大决心、花大气力加以破解。中国有句话叫良药苦口。我们采用的是全面深化改革这剂良方。这5年来，我们采取了1500多项改革举措，推动改革呈现全面发力、多点突破、纵深推进的局面，经济结构调整和产业升级步伐不断加快，经济稳中向好态势不断巩固，经济持续发展的新动能不断积聚。今年上半年，中国经济增长6.9%，第三产业增加值占国内生产总值的54.1%，新增城镇就业735万人。事实证明，全面深化改革的路走对了，还要大步走下去。

面向未来，中国将深入贯彻创新、协调、绿色、开放、共享的发展理念，不断适应、把握、引领经济发展新常态，推进供给侧结构性改革，加快构建开放型经济新体制，以创新引领经济发展，实现可持续发展。中国将坚定不移走和平发展道路，为世界和平与发展作出新的更大贡献。

今年5月，中方成功主办"一带一路"国际合作高峰论坛，29个国家的元首和政府首脑，140多个国家、80多个国际组织的1600多名代表出席，标志着共建"一带一路"倡议已经进入从理念到行动、从规划到实施的新阶段。各国代表在会上共商合作大计，共谋发展良策，达成广泛共识。需要指出的是，共建"一带一路"倡议不是地缘政治工具，而是务实合作平台；不是对外援助计划，而是共商共建共享的联动发展倡议。我相信，共建"一带一路"倡议将为各国实现合作共赢搭建起新的平台，为落实2030年可持续发展议程创造新的机遇。

工商界是金砖国家经济发展的主力军。10年来，工商界人士将企业发展融入金砖合作，为构建金砖经济伙伴关系作出重要贡献。把工商论坛安排在领导人会晤前夕举行，就是为了听取工商界的意见和建议，共同把厦门会晤办好，把金砖合作建设好。希望你们发挥工商界在信息、技术、资金等方面的优势，开展更多互利共赢、利国利民的务实合作项目，为促进经济社会发展、增进人民福祉作出更大贡献。中国政府将继续鼓励中国企业到其他国家落地扎根，也热忱欢迎其他国家的企业来中国投资兴业。

女士们、先生们、朋友们！

金砖国家将迎来更富活力的第二个十年，让我们同国际社会一道努力，让我们的合作成果惠及五国人民，让世界和平与发展的福祉惠及各国民众。

最后，我预祝这次工商论坛取得圆满成功！

谢谢大家。

深化金砖伙伴关系 开辟更加光明未来

——在金砖国家领导人厦门会晤大范围会议上的讲话

（2017 年 9 月 4 日）

习 近 平

尊敬的祖马总统，

尊敬的特梅尔总统，

尊敬的普京总统，

尊敬的莫迪总理，

女士们，先生们，朋友们：

很高兴同各位同事再次相聚。首先，我谨代表中国政府和中国人民，对大家出席金砖国家领导人厦门会晤表示热烈的欢迎。我期待着同各位同事一道，围绕“深化金砖伙伴关系，开辟更加光明未来”的会晤主题，回顾总结金砖合作，勾画未来发展蓝图，开启合作新航程。

金砖合作已经走过 10 年光辉历程。我们五国虽然山海相隔，但怀着合作共赢的共同目标走到了一起。

中国古人说：“交得其道，千里同好，固于胶漆，坚于金石。”金砖合作之所以得到快速发展，关键在于找准了合作之道。这就是互尊互助，携手走适合本国国情的发展道路；秉持开放包容、合作共赢的精神，持之以恒推进经济、政治、人文合作；倡导国际公平正义，同其他新兴市场国家和发展中国家和衷共济，共同营造良好外部环境。

事实证明，金砖合作契合我们五国发展共同需要，顺应历史大势。尽管我们五国国情不同，但我们对伙伴关系、繁荣发展的追求是共同的，这使我们能够超越差异和分歧，努力实现互利共赢。

当前，世界格局发生了许多深刻复杂变化。在这一背景下，金砖合作显得更加重要。五国人民希望我们携手促进发展，提高人民福祉。国际社会期待我们维护世界和平，推动共同发展。我们应该再接再厉，全面深化金砖伙伴关系，开启金砖合作第二个“金色十年”。

第一，致力于推进经济务实合作。务实合作是金砖合作的根基，在这方面我们成绩斐然。同时，我们也要看到，现在，金砖合作潜力还没有充分释放出来。据统计，2016 年金砖国家对外投资 1970 亿美元，只有 5.7%发生在我们五国之间。这说明，我们五国还有广阔合作空间。

我们应该紧紧围绕经济务实合作这条主线，在贸易投资、货币金融、互联互通、可持续发展、创新和产业合作等领域拓展利益汇聚点。今年，我们制定了《金砖国家服务贸易合作路线图》、《金砖国家投资便利化纲要》、《金砖国家电子商务合作倡议》、《金砖国家创新合作行动计划》、《金砖国家深化工业领域合作行动计划》，成立了新开发银行非洲区域中心，决定建立金砖国家示范电子口岸网络，在税收、电子商务、本币债券、政府和社会资本合作、金融机构和服务网络化布局等方面达成积极共识，各领域务实合作不断机制化、实心化，含金量不断提升。

我愿借此机会宣布，中方将设立首期 5 亿元人民币金砖国家经济技术合作交流计划，用于加强经贸等领域政策交流和务实合作。向新开发银行项目准备基金出资 400 万美元，支持银行业务运营和长远发展。我们愿同各方一道努力，把以往成果和共识落实好，让现有机制运行好，共同把握新工业革命带来的历史机遇，积极探索务实合作新领域新方式，拉紧联系纽带，让金砖合作机制行稳致远。

第二，致力于加强发展战略对接。我们五国虽然国情不同，但处在相近发展阶段，具有相同发展目标，都已进入经济爬坡过坎的时期。加强发展战略对接，发挥各自在资源、市场、劳动力等方面比较优势，将激发我们五国增长潜力和30亿人民创造力，开辟出巨大发展空间。

我们应该在大局上谋划、关键处落子，本着共商、共建、共享原则，寻找发展政策和优先领域的契合点，继续向贸易投资大市场、货币金融大流通、基础设施大联通目标迈进。要从结构性改革、可持续发展等角度入手，在创新创业、产业产能等领域拓展利益汇聚点，交流分享经验，助力彼此经济发展。处理好增长速度和质量、效益的关系，以落实2030年可持续发展议程为契机，谋求经济、社会、环境效益协调统一，实现联动包容发展。

第三，致力于推动国际秩序朝更加公正合理方向发展。随着我们五国同世界的联系更为紧密，客观上要求我们积极参与全球治理。没有我们五国参与，许多重大紧迫的全球性问题难以有效解决。我们就事关国际和平与发展的问题共同发声，共提方案，既符合国际社会期待，也有助于维护我们的共同利益。

我们应该坚定奉行多边主义和国际关系基本准则，推动构建新型国际关系，为各国发展创造和平稳定环境。要推动开放、包容、普惠、平衡、共赢的经济全球化，建设开放型世界经济，支持多边贸易体制，反对保护主义。要推进全球经济治理改革，提高新兴市场国家和发展中国家代表性和发言权，为解决南北发展失衡、促进世界经济增长提供新动力。

第四，致力于促进人文民间交流。国之交在于民相亲。只有深耕厚植，友谊和合作之树才能枝繁叶茂。加强我们五国人文交流，让伙伴关系理念扎根人民心中，是一项值得长期投入的工作。这项工作做好了，将使金砖合作永葆活力。

我们高兴地看到，我们五国领导人就加强金砖人文交流达成的重要共识正在变成现实。今年，五国人文交流合作全面铺开，举行了运动会、电影节、文化节、传统医药高级别会议等丰富多彩的活动。

希望在我们共同关心和推动下，这些活动能够经常化、机制化，并努力深入基层，面向广大民众，营造百花齐放的生动局面。

各位同事！

过去10年，是金砖国家集中精力谋发展的10年，也是坚持不懈深化伙伴关系的10年。在金砖合作的历史进程中，10年只是一个开端。正如年初我在致各位同事的信中所说，展望未来，金砖合作必将得到更大发展，也必将在国际事务中发挥更大作用。让我们共同努力，推动金砖合作从厦门再次扬帆远航，开启第二个"金色十年"的大门，使金砖合作造福我们五国人民，惠及各国人民！

谢谢大家。

深化互利合作　促进共同发展

——在新兴市场国家与发展中国家对话会上的发言

（2017年9月5日）

习　近　平

各位同事，

女士们，先生们，朋友们：

上午好！现在，我宣布新兴市场国家与发展中国家对话会开始。

热烈欢迎大家出席新兴市场国家与发展中国家对话会。金砖国家在领导人会晤期间，注重同其他新兴市场国家和发展中国家进行沟通交流。中方今年有所创新，邀请了来自不同地区有代表性的国家出席今天的对话会，相信这种对话有利于新兴市场国家和发展中国家加强团结合作，有利于金砖机制自身发展。

今天，大家能够聚到一起非常难得。很多同事是远道而来，有的还专门为出席对话会调整了日程安排，我对此表示感谢。我期待同大家围绕“深化互利合作，促进共同发展”的主题，共商发展合作大计，为深化南南合作、落实 2030 年可持续发展议程注入强劲动力。

进入新世纪以来，新兴市场国家和发展中国家群体性崛起，成为不可逆转的时代潮流。近几年，这些国家对世界经济增长的贡献率稳居高位，2016 年达到 80%，是当之无愧的主引擎。近期，世界经济呈现向好态势，国际贸易和投资回升，新一轮科技和工业革命蓄势待发，新产业、新技术、新业态层出不穷。从这个意义上讲，新兴市场国家和发展中国家面临难得的发展机遇。

同时，我们也要看到，世界经济下行风险和不确定性在同步上升，多边贸易谈判举步维艰，《巴黎协定》落实遭遇阻力。部分国家内顾倾向加重，参与国际发展合作意愿减退，其政策调整的外溢效应仍在发酵。世界经济进入新旧动能加速转换的关键期，各方围绕利益、规则的博弈日益激烈，新兴市场国家和发展中国家所处的外部环境更加复杂严峻。

逆水行舟，不进则退。面对新的形势，新兴市场国家和发展中国家需要同舟共济，坚定信心，联手营造有利发展环境，努力实现更大发展，为世界经济增长作出更大贡献。

（一）加强团结协作，共同构建开放型世界经济。当今时代，各国是相互依存、彼此融合的利益共同体，开放包容、合作共赢是唯一正确的选择。搞以邻为壑、零和游戏无助于世界经济增长，新兴市场国家和发展中国家将是首当其冲的受害者。我们要为开放型世界经济鼓与呼，坚定支持多边贸易体制，反对保护主义，引导经济全球化实现包容、普惠的再平衡。要加强立场协调，推动世界贸易组织第十一届部长级会议取得积极成果，推进多哈发展回合剩余议题，并为多边贸易体制发展明确方向。要努力提升新兴市场国家和发展中国家在全球经济治理中的代表性和发言权，推动形成更加公正合理的国际经济秩序。

（二）加强团结协作，共同落实 2030 年可持续发展议程。发展是新兴市场国家和发展中国家的第一要务。我们要立足自身国情，把可持续发展议程同本国发展战略有效对接,持之以恒加以推进,探索出一条经济、社会、环境协调并进的可持续发展之路。要呼吁国际社会把发展置于宏观政策协调的重要位置,发挥联合国作用,利用好可持续发展高级别政治论坛,加快落实可持续发展议程。要敦促发达国家信守承诺,根据共同但有区别的责任等原则,增加对发展中国家支持力度。近期,联合国发展系统酝酿改革,我们要推动改革聚焦发展,增加投入,真正服务广大发展中国家需要。

(三)加强团结协作,共同把握世界经济结构调整的历史机遇。新一轮科技和工业革命催生新的发展动能,也带来千载难逢的发展机遇。抓住这个机遇,新兴市场国家和发展中国家就可能实现"弯道超车"。失去这个机遇,南北鸿沟、发展失衡将进一步扩大。因此,我们必须勇于创新、敢于改革,大刀阔斧推进经济结构调整,挖掘发展内生动力。同时,要解决好社会政策托底问题,重视保障和改善民生。我们应该相互以基础设施建设、科技、教育、工业等领域为重点,加强发展战略对接、经验交流、能力建设合作,助力彼此经济发展。

（四）加强团结协作，共同建设广泛的发展伙伴关系。一花不是春，孤雁难成行。新兴市场国家和发展中国家面临相似的发展任务，深化务实合作，发挥互补优势，能产生“一加一大于二”的积极效应。我们要利用好金砖国家、七十七国集团等机制，在更大范围、更广领域开展南南合作，携手应对各种全球性挑战，培育联动发展链条，实现联合自强。今年，中方邀请有代表性的发展中国家出席这次对话会，目的就在于构建伙伴网络，建设各国发展共同体、命运共同体。

各位同事！

中国高度重视2030年可持续发展议程，制定了落实议程的国别方案，建立了可持续发展创新示范区，在经济、社会、环境等领域取得多项早期收获。为推动国际发展合作，中方将利用南南合作援助基金、中国—联合国和平与发展基金、气候变化南南合作基金等机制，积极助力其他发展中国家落实可持续发展议程。

我愿借此机会宣布，中国将在南南合作援助基金项下提供5亿美元援助，帮助其他发展中国家应对饥荒、难民、气候变化、公共卫生等挑战。中方还将利用国际发展知识中心、南南合作与发展学院等平台，同各国加强发展经验交流和能力建设合作，并在未来1年为其他发展中国家提供4万个来华培训名额。

4年前，我提出共建“一带一路”倡议，得到国际社会热烈响应。今年5月，中国成功主办“一带一路”国际合作高峰论坛，同有关国家和国际组织一道勾画“一带一路”建设合作愿景，提出一系列支持沿线国家可持续发展的务实举措。各方都认为，共建“一带一路”倡议的理念和方向，包括政策沟通、设施联通、贸易畅通、资金融通、民心相通，同2030年可持续发展议程高度契合，完全能够加强对接，相互促进。

“一带一路”是一条合作之路，更是一条希望之路、共赢之路。中方将结合“一带一路”国际合作高峰论坛成果落实，同有关国家在基础设施互联互通、产能合作、科技创新等领域开展合作。

中国古人说：“天下事有难易乎？为之，则难者亦易矣；不为，则易者亦难矣。”新兴市场国家和发展中国家代表着世界发展的未来。促进国际发展合作、落实可持续发展议程是我们应有的担当。让我们携起手来，一起开辟一条公平、开放、全面、创新的发展之路。

谢谢大家。

在金砖国家领导人厦门会晤记者会上的讲话

（2017 年 9 月 5 日）

习　近　平

各位记者朋友，

女士们，先生们：

中午好！很高兴同大家见面，并向大家介绍金砖国家领导人会晤及新兴市场国家与发展中国家对话会情况。

昨天，金砖国家领导人厦门会晤圆满闭幕。我们五国领导人围绕“深化金砖伙伴关系，开辟更加光明未来”的主题，就当前国际形势、全球治理、金砖合作等深入交换看法，达成广泛共识。厦门会晤通过了《金砖国家领导人厦门宣言》，重申开放包容、合作共赢的金砖精神，全面总结了金砖合作 10

年来的成功经验，为加强金砖伙伴关系、深化各领域务实合作规划了新的蓝图。

会晤期间，中方举行了新兴市场国家与发展中国家对话会，金砖国家和埃及、墨西哥、泰国、塔吉克斯坦、几内亚领导人应邀出席。各国领导人结合“深化互利合作，促进共同发展”的对话会主题，共商国际发展合作大计，一致同意建立广泛的发展伙伴关系，加快落实2030年可持续发展议程，推动各国共同发展。

10年前，金砖合作兴起于世界格局深刻调整变革之际，引起国际社会高度关注。历经国际金融危机等重大挑战的考验，金砖国家探索出了一条新兴市场国家和发展中国家团结合作、互利共赢的新路子。各国领导人决心以厦门会晤为新起点，坚定信念，再接再厉，共同打造更紧密、更广泛、更全面的战略伙伴关系，开创金砖合作第二个“金色十年”。

我们五国领导人认为，当今世界正在经历深刻复杂变化，世界经济增长前景好转，但各种全球性挑战层出不穷。金砖国家都是具有重要影响的国家，应该深化在重大问题上的沟通和协调，推动建立更加公正合理的国际秩序；应该发挥建设性作用，捍卫国际关系基本准则，维护国际公平正义；应该合作应对各种全球性挑战，推动开放、包容、普惠、平衡、共赢的经济全球化，加快全球经济治理改革，提高新兴市场国家和发展中国家代表性和发言权，为各国发展创造良好外部环境。

我们五国领导人认为，务实合作是金砖合作的根基，根深才能叶茂。我们要本着互利共赢原则，加强宏观政策协调，对接发展战略，全方位深化经贸、财金、工业、可持续发展等各领域合作，形成联动发展格局。今年，金砖务实合作取得新的进展，含金量进一步提升。我们在贸易便利化、服务贸易、货币互换、本币结算、政府和社会资本合作等领域规划了合作路线图，成立了新开发银行非洲区域中心，制定了《金砖国家创新合作行动计划》。通过一年来的工作，金砖国家朝着贸易投资大市场、货币金融大流通、基础设施大联通目标又迈出了新的步伐。我们都强调要更加重视创新作用，把握新工业革命的历史机遇，加快经济结构优化，共同实现更高质量、更具韧性、更可持续的增长。

我们五国领导人认为，深化政治安全合作，增进战略互信，符合五国共同利益和国际社会期待。今年以来，我们围绕国际形势、全球治理、国际和地区热点、国家安全和发展等问题深入交换看法，达成重要共识。我们今年成功举行了安全事务高级代表会议以及首次外长正式会晤，为深化金砖政治安全合作注入了新的动力。我们建立了常驻纽约、日内瓦、维也纳代表定期磋商机制，在共同关心的重大问题上协调立场。我们在反恐、网络安全、维和、中东问题等领域的合作顺利推进。这些提高了金砖国家的影响力。我们支持延续政治安全合作的良好势头，发挥应有作用，为维护全球和平稳定作出更大贡献。

我们五国领导人认为，五国拥有悠久历史、灿烂文化，这是我们的宝贵财富，应该倍加珍惜。今年，五国人文交流合作全面铺开，运动会、电影节、文化节、传统医药高级别会议等活动有声有色，受到五国人民热烈欢迎。我们积极开展议会、政党、智库、青年、地方合作，为各领域人士参与金砖合作搭建平台。我们支持将人文交流活动经常化、机制化，加深五国人民相互了解和友谊，让伙伴关系的理念扎根人民心中。

会晤期间，我们五国领导人都感觉到，在金砖合作跨入第二个十年之际，金砖机制建设需要与时俱进，为各领域合作走深走实提供坚实保障。我们都支持强化协调人职能，定期回顾会晤成果落实进展，探索金砖合作新方式新途径，拉紧联系纽带。今年，金砖机制建设取得新进展。除刚才提到的首次外长正式会晤机制以及常驻联合国代表定期磋商机制外，我们还推动建立了电子口岸示范网络、电子商务工作组、博物馆联盟、美术馆联盟、图书馆联盟等合作平台。这些新机制必将为我们五国深化政治、经济、文化领域合作提供有力保障。

明年，南非将担任金砖国家主席国，并将在约翰内斯堡举办领导人第十次会晤。我们相信，明年的会晤必将取得丰硕成果。中方愿同各方一道，全力支持南方办会，携手推动金砖合作继续向前发展。

女士们、先生们！

开展同其他新兴市场国家和发展中国家的对话合作，是金砖国家的优良传统，在当前形势下具有更加重要的意义。中方举办的新兴市场国家与发展中国家对话会，发出了深化南南合作和全球发展合作的强烈信号。出席对话会的各国领导人一致认为，新兴市场国家和发展中国家发展势头向好，应该在落实 2030 年可持续发展议程、完善全球经济治理等方面发挥更大作用,深化南南合作,打造“金砖+”的合作模式,建立广泛的发展伙伴关系,打造开放多元的发展伙伴网络,携手走出一条创新、协调、绿色、开放、共享的可持续发展之路,为促进世界经济增长、实现各国共同发展注入更多正能量。

借此机会,我感谢其他金砖国家领导人,以及工商、智库、文化、体育等社会各界人士对中方作为主席国的大力支持。我也感谢媒体朋友们付出的辛勤劳动。我相信,通过各国各界共同努力,金砖合作前景一定会更加光明,金砖国家未来一定会更加美好。

谢谢大家。

图书在版编目(CIP)数据

习近平在出席金砖国家领导人厦门会晤时的讲话/
习近平 著.—北京:人民出版社,2017.9
ISBN 978-7-01-018287-2

Ⅰ.①习… Ⅱ.①习… Ⅲ.①习近平-讲话-学习参考资料
②世界经济-经济发展-研究 Ⅳ.①D2-0②F113.4

中国版本图书馆 CIP 数据核字(2017)第 229951 号

(RMC-ZJDXI-053-201709)

习近平在出席金砖国家领导人厦门会晤时的讲话
XIJINPING ZAI CHUXI JINZHUAN GUOJIA LINGDAOREN
XIAMEN HUIWU SHI DE JIANGHUA

人民出版社 出版发行
(100706 北京市东城区隆福寺街 99 号)

北京新华印刷有限公司印刷 新华书店经销

2017 年 9 月第 1 版 2017 年 9 月北京第 1 次印刷
开本:880 毫米×1230 毫米 1/32 印张:1.25
字数:18 千字

ISBN 978-7-01-018287-2 定价:3.00 元

邮购地址 100706 北京市东城区隆福寺街 99 号
人民东方图书销售中心 电话 (010)65250042 65289539